CARLETON PLACE PUBLIC LIBRARY

3 2760 00093814 3

FRA
JP
Dutt

DATE DUE

CARLETON PLACE
PUBLIC LIBRARY

D1472179

à Marie-Noël

tu es arrivée
et on t'a donné le nom
de cette chanson

Les Éditions des Plaines remercient le Conseil des Arts du Canada et le Conseil des Arts du Manitoba du soutien accordé dans le cadre des subventions globales aux éditeurs et reconnaissent l'aide financière du Ministère du Patrimoine canadien (PADIÉ et PICLO) et du Ministère de la Culture, du Patrimoine et du Tourisme, de la province du Manitoba, pour ses activités d'édition.

Textes : André Duhaime
Illustrations : Francine Couture
Conception graphique : Francine Couture

Données de catalogue avant publication (Canada)

Duhaime, André, 1948-
  Bouquets d'hiver

  Poèmes.
  ISBN 2-921353-81-4

  1. Haïku canadien-français. 2. Poésie enfantine canadienne-française.
3. Hiver--Poésie pour la jeunesse. I. Couture, Francine, 1959- II. Titre.
PS8557.U383B68 2002   jC841'.54   C2002-910943-4
PQ3919.2.D81B68 2002

© Duhaime, Couture, Éditions des Plaines, 2002
382, rue Deschambault
Saint-Boniface (MB) R2H 0J8
www.plaines.mb.ca

Dépôt légal : 3e trimestre 2002
Bibliothèque nationale du Canada et Bibliothèque provinciale du Manitoba

bouquets d'hiver

Textes : André Duhaime   Illustrations : Francine Couture

CARLETON PLACE
PUBLIC LIBRARY

dans les fenêtres
les fleurs de givre cachent
l'hiver qui revient

chacun s'amuse
entouré de ses étrennes
tous parlent à la fois

vacances de Noël
l'odeur étrangère
de nos vêtements neufs

patiner le soir
tout autour dans le temps doux
des lumières multicolores

leurs joues rougies
les plus jeunes somnolent
au chaud de l'auto

promenade à ski
sur l'épaisse neige blanche
un lièvre détale

laver les vitres
par cette journée de dégel
le voisin siffle

le soir tôt venu
les constructions de neige
qu'ils veulent achever

fondant puis regelé
le bonhomme de neige
arqué contre le vent

trottoir verglacé
aller à pas incertains
dans d'autres pas

sur la galerie
un écureuil noir ronge
un bout de carotte

CARLETON PLACE
PUBLIC LIBRARY

la panne terminée
en plein jour nous comptons
les gouttes de cire

après la tempête
de petites et grosses branches
gisent un peu partout

au milieu du salon
un gros bouquet de fleurs
aux couleurs vives

sur l'étrangère
dans un rayon de soleil
un château de sable

elle s'est endormie
au pied de son lit dedans
toutes ses poupées

dans ce long hiver
que les fraises surgelées
sont un bon dessert

aujourd'hui il pleut
la table de pique-nique
sort de la neige

Achevé d'imprimer chez AGMV Marquis (Montmagny)
en septembre de l'an deux mille deux.